了不起的大画家

van Gogh

凡·高

好多好大的旋涡

郑勤砚◎主编　霍晨昕◎编著

北京联合出版公司
Beijing United Publishing Co.,Ltd.

图书在版编目 (CIP) 数据

凡・高：好多好大的旋涡 / 郑勤砚主编；霍晨昕编著. -- 北京：北京联合出版公司, 2021.4（2022.6重印）

（了不起的大画家）

ISBN 978-7-5596-5128-0

Ⅰ. ①凡… Ⅱ. ①郑… ②霍… Ⅲ. ①凡高（Van Gogh, Vincent 1853-1890）- 绘画 - 鉴赏 - 少儿读物 Ⅳ. ① J205.563-49

中国版本图书馆 CIP 数据核字（2021）第 044558 号

凡・高：好多好大的旋涡

选题策划：
出 品 人：赵红仕
项目策划：王松慧
责任编辑：李 伟
特约编辑：白海波
装帧设计：段 瑶
美术编辑：刘晓东
外文校对：张 玉

北京联合出版公司出版
（北京市西城区德外大街83号楼9层 100088）
艺堂印刷（天津）有限公司 新华书店经销
字数100千字（全10册） 720×787毫米 1/12 34印张（全10册）
2021年4月第1版 2022年6月第2次印刷
ISBN 978-7-5596-5128-0
定价：299.00元（全10册）

目录

CONTENTS

Decided to be a painter at the age of 27

27 岁决定当画家

你有没有想过当一个画家？是不是已经拿起你的画笔在纸上画出梦想了？世界上许多大画家都是从小学习画画，比如那个画鸡蛋的达·芬奇。可是文森特·威廉·凡·高（Vincent Willem van Gogh，1853—1890 年，荷兰）不一样，他 27 岁才立志当个画家，努力学习画画。

他的爸爸妈妈为此很不高兴，认为他放弃了稳定的职业，在应该成家立业的年纪选择了漂泊不定的生活。但凡·高并没有因此放弃，他崇拜偶像**让·弗朗索瓦·米勒**，他想把农民、工人、静物、风景都画出来。凡·高是不是很勇敢！

《博里纳日煤矿》 1879 年

这个叫博里纳日的矿区是凡·高曾经工作和生活过的地方。他在这里做了一件了不起的事：为了帮助工人们涨工资，他独自去找老板理论，却惨遭羞辱。这幅画看上去线条简单，但对刚开始学画的凡·高来说已经很不错了，要鼓励他呀！

《用麻袋背着煤的矿工的妻子们》 1880 年

画面看上去很沉重，妇女们的脊背都被装满煤的麻袋压弯了。此时的凡·高恰好在矿区当传教士，他本来想让大家在神的指引下生活得轻松一些，然而并没有用。矿工们时常一劳动就是十几个小时，且收入很低，生活艰辛。

弟弟提奥·凡·高在精神和生活上的支持，使他可以安心地跟当时特别有名的画家安东·莫夫学习油画。莫夫喜欢将作品画得灰沉沉又朦胧，所以人们叫他“灰调子大师”，凡·高早期的画作，也是这个样子。

《拾穗者》米勒　1857 年

这幅最能代表米勒风格的画作没有任何戏剧性的场面，仅仅是描绘秋收后，人们从地里捡拾遗留麦穗的情景。他用朴实的笔触将农村生活的真实与平淡展示给我们，这是一幅真正伟大的作品。

1888 年，莫夫忽然去世，为了纪念莫夫，凡·高创作了《盛开的桃花》，左下角写着“纪念莫夫”，背面写着“只要活人还活着，死去的人总还是会活着”。《寻梦环游记》里不是说过吗：**“死亡并不是人生的终点，遗忘才是。”**

凡·高身上的颜料

凡·高身上经常粘满颜料，因为他喜欢甩刚刚画好的作品。最夸张的一次，他在户外和画家朋友们作画，刚画完就拿起一张 30 号的大画布甩，甩了自己和路人一身油彩。但他乐此不疲，以为这样好像能和画融为一体。

Potato Eaters

吃土豆的人

你从画里看到了什么？

我看到他们穿着朴素，身体消瘦，脸上的表情有些疲惫，看上去不太愉快。

《吃土豆的人》 1885 年

你或许觉得这幅画有些压抑，可凡·高不这么想，他觉得这些农民虽然贫穷，却依旧努力地用双手换取生活的甜头。

转眼间，距凡·高立志当画家已经五年了。可对于凡·高来说，这五年只是在积累，尽管素描手稿**堆积如山**，但他固执地认为这些叫“草稿”，不是“作品”。这就是一个艺术家的自我修养，从来不急着去创造一幅惊世骇俗的作品，而是努力使自己有足够的积累。其实做什么事都要循序渐进，不是吗？

整幅画太自然了，就像凡·高是这些农民中的一员。他说：“我想表现的是生活，我用心在这幅画中描绘生活。”

1885 年，《吃土豆的人》诞生了。凡·高激动地说这是他职业艺术生涯中的第一幅正式的油画，这也是他早期绘画阶段最好的作品。可是那些画商和欧洲的艺术家并不喜欢，他们指着《吃土豆的人》摇着头说：**“嘿，这颜色像铜锈，又像肥皂。”**多么令人伤心的评价，同时也不公平，要知道，闻名世界的大画家伦勃朗也是这样用色的——用大量的**褐色**来反托微光。

你看画面中央的男子，他拿起一个土豆转向身边的老妇人，似乎是在问：“你还要再吃一个吗？”

即便不被人肯定，凡·高仍然很喜欢这幅画，甚至在他离世的前几个月，他时常提到的依旧是它。

《吃土豆的人》（草图） 1885 年

这幅虽然是《吃土豆的人》的草图，但依旧被克洛勒·穆勒博物馆珍藏。这幅作品问世后，画商们说画中形象不准确，凡·高回答说：“真正的画家画物体，不是根据物体的实际，而是根据自己的感受来画，就像米开朗基罗创造的人物形象腿太长、臀部大，我就是想通过这些不准确和偏差来重塑和改变现实。”

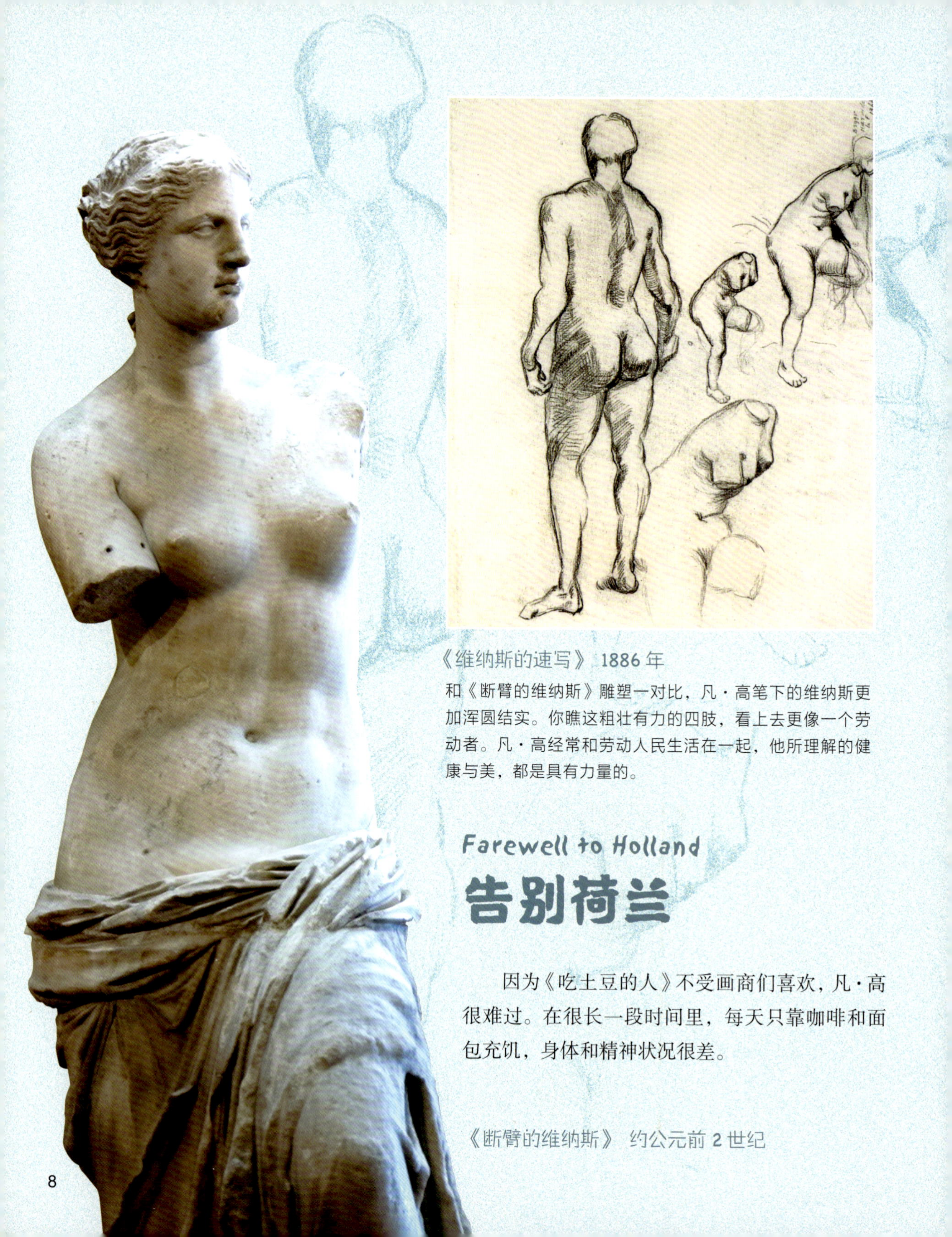

《维纳斯的速写》 1886 年

和《断臂的维纳斯》雕塑一对比，凡·高笔下的维纳斯更加浑圆结实。你瞧这粗壮有力的四肢，看上去更像一个劳动者。凡·高经常和劳动人民生活在一起，他所理解的健康与美，都是具有力量的。

Farewell to Holland

告别荷兰

因为《吃土豆的人》不受画商们喜欢，凡·高很难过。在很长一段时间里，每天只靠咖啡和面包充饥，身体和精神状况很差。

《断臂的维纳斯》 约公元前 2 世纪

弟弟提奥认为**想改变当下的困境，最好的方式是学习**，于是建议凡·高去读美术学院。凡·高这个倔脾气的家伙一向反感美术学院，他说学院只会教人画路易十五，而不是工人或裁缝，不接地气。可他这次却答应了，后人揣测是因为美术学院会提供免费的模特，正适合贫困的凡·高。

1886 年 1 月，凡·高入学了。毫无意外地，他和学院派教授们发生了冲突。教授们认为维纳斯是苗条消瘦的，这才是古典美，但凡·高笔下的维纳斯却拥有丰满健壮的身姿。此后，凡·高背上行囊离开了荷兰。

“一个人绝不可以让自己心里的火熄灭掉，而要让它始终不断地燃烧。”

《戴白色帽子的农妇》 1885 年

凡·高说农民的脸上虽然不施粉黛，却散发着精神饱满带来的光泽，这丝毫不逊色于上流贵妇。

《打开的圣经》 1885 年

这幅画藏着凡·高巨大的悲伤和焦虑。画这幅画的时候，他的父亲刚刚去世半年，桌上的《圣经》象征着凡·高的父亲，因为父亲是神职人员。艺术家和文学家的思念真是浪漫，很少言明，总是借物抒情。

凡·高临摹作品　1887 年

凡·高是歌川广重的头号粉丝，他一生收集了几百幅浮世绘，其中 12 张就来自歌川广重。虽然是临摹，但也不完全一样。你看同样是《雨中大桥》，凡·高在造型比例上动了点小手脚，他放大了前景，让过桥的人成为焦点，使整个画幅放大了几乎一倍。色彩上，凡·高加了红色和绿色的边框，让青色的水更加突出；在阴霾的天空里增加了蓝色，让原本橙色和褐色的木桥多了一些黄色和紫色，使画面不再灰暗，鲜艳了起来。

“我的作品就是我的肉体和灵魂，为了它我甘愿冒失去生命和理智的危险。”

《江户名胜百景之雨中大桥》　歌川广重

Copying Japanese Ukiyo-e

临摹日本浮世绘

《神奈川冲浪里》 葛饰北斋

巴黎是著名的艺术之都，妈妈们的梦想里大概会有一件来自巴黎的衣服或包包，艺术家们希望能看到卢浮宫博物馆收藏的真迹。凡·高在巴黎看到了什么——**浮世绘。**

浮世绘是源自日本民间的艺术，它盛行于江户时代（1603—1867 年），一开始画的几乎是清一色的美人，之后逐渐演变为生活风貌及自然风光。19 世纪，浮世绘流入欧洲，很快成为欧洲艺术家们的新宠。

凡·高是个时髦的人，他在巴黎和许多新锐的印象派画家有来往，自然也会不遗余力地追赶潮流。浮世绘鲜艳的色彩和细腻的笔触，让人很容易对远在日本的生活产生画面感，这和他乐于描绘农民、工人的生活场景是一样的。

《花魁》 溪斋英泉

凡·高临摹作品　1887 年

凡·高对《花魁》是一见钟情，他在《巴黎画报》封面第一次见到溪斋英泉的《花魁》，就为之着迷，立马拿来纸覆盖在杂志上临摹了线条。之后修修改改很多次，凡·高做了很多变化，才有了如今收藏在阿姆斯特丹凡·高博物馆的这幅《花魁》。仔细观察，两幅画都有哪些区别呢？

“星空”里的浮世绘

凡·高临摹过 30 多幅浮世绘，流传至今的并不多，但在他的其他作品里却能看到浮世绘的身影。就像之后马上要介绍的《老唐基》，人物背景就是浮世绘作品。还有著名的《星月夜》里的旋涡，也是借鉴了葛饰北斋的版画《神奈川冲浪里》。

《老唐基》 1887 年

你大概从画里看到了熟悉的元素——右下角凡·高临摹的溪斋英泉的《花魁》。其实老唐基背后的所有画作，都是日本浮世绘作品，左上角是歌川广重的《飞鸟山暮雪》，中央是葛饰北斋的《红富士》，右上角是歌川广重的《江户名胜百景》系列，老唐基端坐在这些画前，仿佛他也是浮世绘作品中的一员。

《老唐基》 1887 年

这是凡·高为老唐基画的另一幅肖像画，几乎是同样端坐的姿势，依旧亲切温和的神态。在所有老唐基的画像里，似乎都藏了凡·高的小心思：草帽和衣着十分朴素，两手青筋暴突，像是长期从事体力劳动一样。（你猜这会不会是凡·高自己的打扮？）这样一来，老唐基商人的痕迹就悄悄地被抹去，艺术品和艺术家守护者的形象便更加纯粹。凡·高似乎在说：“卖不出画有什么要紧，纯粹的艺术才是我的追求。”

色彩里流露出的幸福

凡·高在巴黎的生活是开心明朗的，虽然生计依旧是个困扰，但有志同道合的朋友和知音在身边，日子精彩了许多。所以这一时期，凡·高的画中充满了明亮的色彩。《鹧鸪与麦田》融入了绿、红、青三种原色，而且多了许多像《红色罂粟与雏菊》中这样漂亮的花花草草。艺术家的幸福，我们是可以通过色彩感知到的。

老唐基 Old Tangi

真是难得，在巴黎的画商里有人喜欢凡·高的画。他是老唐基，不算知名人物，也没有雄厚的财力，只是在蒙马特区开了一家小商店，出售画作和一些绘画用品。但他性格憨厚，热情可爱，喜欢跟印象派画家来往，像**毕沙罗、塞尚**等。他也时常接济贫困潦倒的画家，凡·高就经常在他那里赊账买东西。

能遇到一个欣赏、认可自己的人，是件开心的事，不管对于凡·高还是我们，当钟子期听懂了俞伯牙琴声里的志向，世上便有了**“知音”**。所以凡·高对老唐基非常尊敬，他跟提奥说：“老唐基一点也不像巴黎现在那些皮条客，而好像古代信奉基督教的奴隶和殉道者——从顺从和毅力这两方面来说。”这样的人自然值得凡·高为他留下肖像画，而且不止一幅。

“人们必须真正地爱他的同类，我要尽可能地使自己具有这样的心。”

《红色罂粟与雏菊》 1890 年

《鹧鸪与麦田》 1887 年

凡·高总共画了几十幅关于麦田的作品，这证实了他对麦田的喜爱和对生命的敬畏。他说：“当我画一片麦田，我希望人们感受到麦子正朝着它们最后的成熟和绽放努力。”

《花瓶里的十五朵向日葵》 1889 年

你听了或许会大吃一惊，这幅画里用了 38 种黄色，绝对是一部“**黄色交响曲**”。它以丰富和饱满的**黄色**，成为凡·高所有向日葵作品里最有名的一幅，如今收藏在阿姆斯特丹的凡·高博物馆。

《两朵剪下的向日葵》 1887 年

虽然是剪下来的，但仍然带着太阳的光芒。画面上流动的金色被蓝色吸收而形成旋涡，使画面似乎在旋转。此时此刻，凡·高的心中一定有一股不可抵挡的生命的力量在鼓舞着他！

《花瓶里的五朵向日葵》 1888 年

这些向日葵看上去无精打采，有些哀伤，或许凡·高这时正在跟自己抑郁的情绪做斗争。而这幅画本身的遭遇也很不幸，它原本被一名日本收藏家收藏，却在第二次世界大战期间被毁。战争真是个令人讨厌的家伙！

凡·高希望全世界都知道他喜欢向日葵，你看他画了那么多。如果那时候有微信，他大概会用向日葵做自己的头像吧！他究竟画了多少向日葵呢？具体数字不得而知，他从巴黎一直画到了法国南部的阿尔勒。

向日葵对于凡·高来说，一方面是使用色彩上的“黄金时期”；另一方面，向日葵丰满的脸颊，有序地向外扩散的金发，挺拔的身姿，永远追寻着太阳的方向，就像凡·高一直不停地追寻自己内心的光芒一样。

《花瓶里的三朵向日葵》 1888 年

这幅作品一直被私人收藏，自从 1948 年被借给克利夫兰美术馆展出一个月之后便再也没有出现过。

我的向日葵一定能卖高价

凡·高在 1888 年给提奥的信里说，他画的向日葵值得人出价 500 法郎。500 法郎在那时大约等于 100 美元，凡·高大大低估了他笔下向日葵的魅力。1920 年，那幅后来被毁在“二战”战火中的《花瓶里的五朵向日葵》被日本收藏家以极高的价格拍得。不知凡·高知道后，会不会开心地跟提奥说：“看吧，我就说它一定能卖出高价。”

情迷阿尔勒 Fascinated by Arles

《露天咖啡座》 1888 年

看这片蔚蓝色的星空！这是凡·高第一次用《星月夜》的创作技法来描绘星空，虽然比不上后来的《星月夜》，但已经足够动人。那簇簇星光，远的像是萤火虫，近的如同白色的花朵，它们交相辉映，搭配旁边暖色调的咖啡馆的灯光，好像真的闪烁起来了。

《麦田》 1890 年

法国乡村色彩缤纷的麦田给人一种收获的喜悦和希望。然而，麦田间独自收割的农民虽然满载着希望，却略显孤独。也许，这正是凡·高当时的感受。

现在你可能会有个疑问：凡·高既然在巴黎的时光是幸福的，为什么要去阿尔勒呢？因为他把阿尔勒幻想成了日本。自从爱上浮世绘以来，画中绚烂的色彩就像拥有魔法一样吸引着他。他坚信属于他的天地在山间田野，他希望找到燃烧炙热太阳的地方，让调色板上的颜色更加明亮，位于普罗旺斯的阿尔勒是他最终的选择。

《上班途中的画家》 1888 年

凡·高画的自己不像个画家，更像个农夫。他每天都是这样出去画画——夹着画板，背着画架，提着颜料、手杖、调色板和午餐……你看这个穿着打扮像不像老唐基？

阿尔勒有着地中海热烈的阳光，普罗旺斯斑斓的花海，还有一条条古老的小街。凡·高第一天来到这里，小镇就下了一场雪。这真是莫大的惊喜，这个地区几乎不下雪，很多阿尔勒人一辈子都没有见过雪。凡·高激动地从被雪花拥抱的银杏树上折下一枝银杏，满怀期待地开始了新生活。他每天都背着画具出去画画，画笔用完了，又没钱买新的，他就在阿尔勒的田野里找到结实的芦苇秆，将它们折下来做成画笔。他用芦苇秆画出的线条、色彩描绘出成熟的麦田、茂密的树林和干草堆的细节。很多画家都曾使用自然界的馈赠画过画，伦勃朗也使用过芦苇秆，还有中国元朝著名画家王冕使用过树枝。看来只要真心热爱，总能找到解决问题的方法！

艺术ABC

色彩 Color

日常生活中的“色彩”是个多义词，简单地说，当光线照射到物体后使我们的视觉神经产生感受，因而有了色彩的存在。色彩是通过眼、脑和我们的生活经验所产生的一种对光的视觉效应。

《播种者》 1888 年

这真是一幅用色特别又大胆的画！你看明明是夕阳，却有着烈日般狂热的金色，农夫脚下的麦田竟然在夕阳下泛着蓝黄色的光。这样醒目的配色，是不是牢牢抓住了你的眼睛，让你过目不忘！

The beauty and the sea

美人与海

你有特别喜欢的地方吗？为什么喜欢？如果将这些问题甩给凡·高，他大概会答——**阿尔勒**。至于为什么，说起来可能有些羞涩，除了喜欢那里的景色之外，那里的美人也有着致命的吸引力。

阿尔勒是法国人公认的美女之乡。在这里，凡·高遇到了美丽的吉努夫人，她是他的房东，也是《夜间咖啡馆》原型咖啡馆的老板娘。

《夜间咖啡馆》 1888 年

大家都说凡·高和吉努夫人都在这幅画里，就在左边最后一张桌子的后面——凡·高戴着草帽，吉努夫人穿着淡黄色的衣衫。两人密切地交谈着，凡·高似乎要借此来抒发自己的孤独之感。

你在画中看到的脸美吗？

《吉努夫人》 1888年

吉努夫人看上去成熟、忧郁，这正是凡·高钟爱的女性类型。人们揣测他是因为缺少母爱，才会特别喜欢成熟的女性。

“没有比爱人更为真确的艺术。”

凡·高和吉努夫人之间有没有爱情，我们无从知晓，但是他把浓烈的情感都寄托在了《夜间咖啡馆》里。其实“爱美”之心人皆有之，它是随着生命而来的本能，就像你喜欢漂亮的衣服、美丽的花朵一样自然。艺术家们也从不掩饰他们对美的热爱，试想如果没有一双探寻美的眼睛，又怎么会有精彩纷呈的传世佳作呢！**所以你“爱美”，真是件令人愉快的事情！**

《海上渔舟》 1888年

不用亲身去到，就能感到圣雷米大海的汹涌气势，这要归功于三只帆船与翻滚的海浪形成的巨大反差。这个时期的凡·高在线条和色彩上的表现都更有活力，这是他增长见闻的功劳。

凡·高爱过的人

凡·高一生经历过四次爱情，他爱过房东的女儿、表姐、妓女、邻居，每次恋爱都倾注了所有的情感。凡·高的感情充沛而热烈，他选择爱人从来不看对方的身份，只凭着热烈的爱意。

胖乎乎的脸蛋，弯弯的眉毛，炯炯有神的眼睛……

你好呀！我是鲁林的小儿子。

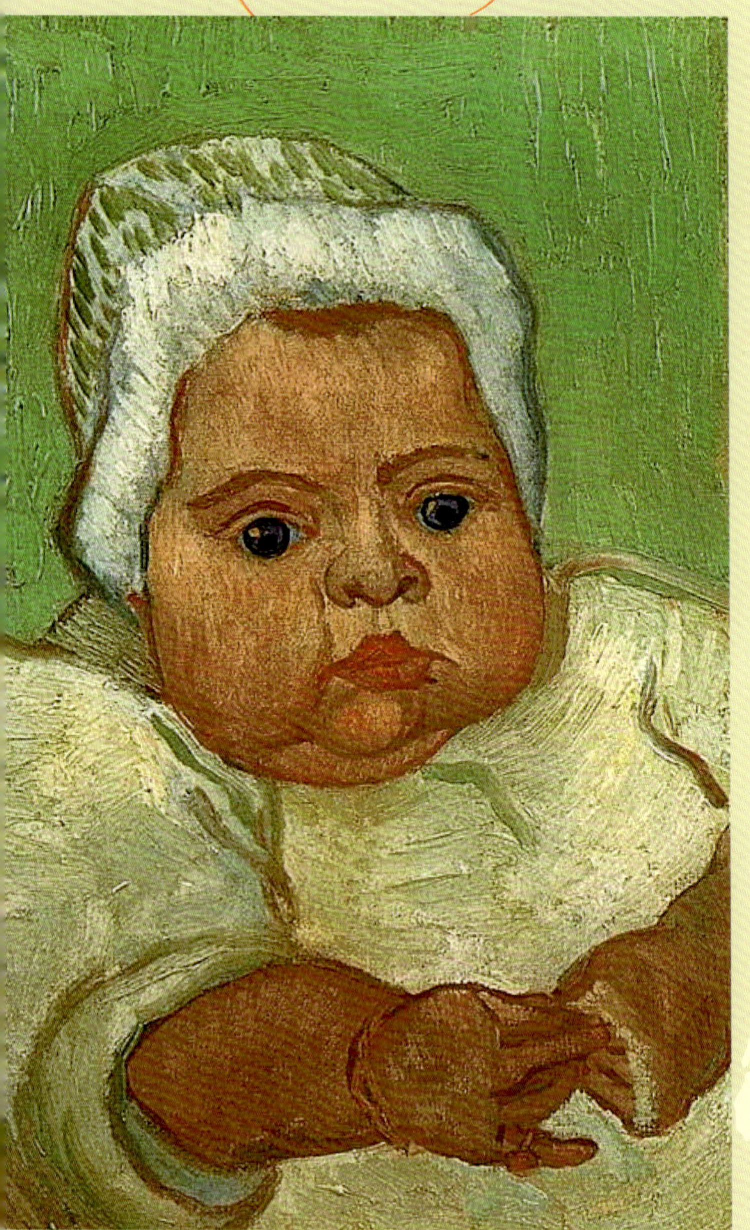

《鲁林孩子画像》 1888 年

The postman Roulin

邮差鲁林

这个穿着蓝色制服的男人经常出现在凡·高的画里，他叫约瑟夫·鲁林，是凡·高在阿尔勒为数不多的朋友之一。凡·高很喜欢他，他经常帮自己传递信件。

除此之外，凡·高和鲁林都喜欢喝苦艾酒。这时候的凡·高嗜酒成性，碰到谁就跟谁喝上一杯，喝了酒作画反而更投入，甚至可以一气呵成地完成一幅肖像画。他跟提奥说，这是**“流氓的绘画”**。

凡·高为什么喜欢画人像？

凡·高在阿尔勒画了许多肖像画，他跟提奥说起这件事，并为此做了解释。他说他希望用这种简单的方式来探索法国“伟大而朴素的东西和人性的写照”。他要用自己的方式来记录这个时代。

《邮差约瑟夫·鲁林画像》 1889 年

鲁林是个坐不住的家伙，每次画画都要动来动去，可凡·高还是很喜欢找他当模特，而他本人也十分乐意。凡·高总共为他画了六幅肖像画，每一幅都是几乎相同的神态：严峻的表情，坚毅的眼神，长髯向两边分开，蓝色烫金边的制服。凡·高割耳后，也是鲁林送凡·高回家并叫了医生。

流氓？当然不是指鲁林，更不是指凡·高自己，他的意思是要用“流氓”的做派去画画，沉醉于梦想之中，将巴黎同行那些规则统统抛到脑后。或许用**“潇洒”**更准确一点。

这就是我们的凡·高，从来不向秩序**低头**，虽然他的画卖不出去，可他依旧坚持自己的创作思路，坚持自己画画的初心。

《鲁林夫人和她的孩子画像》 1888—1889 年

凡·高除了为鲁林画像，还为鲁林夫人及他们的三个儿子画了很多画像。

The Garden at Etten and the Red Vineyard

埃顿花园和红色葡萄园

凡·高在阿尔勒租了一间小屋，因为外墙刷着黄色的油漆，所以被称为**“黄色小屋”**。房间虽然是租来的，但不妨碍凡·高决心把这里装扮一下——他画了许多油画来装饰房间。画家天生就拥有这种自在的浪漫，如果我们需要装饰画要花钱买，而

“让我沿着自己的道路奋斗吧，千万不要丧失勇气，不要松劲。”

《红色葡萄园》 1888 年

这幅画很了不起，它是凡·高生前唯一卖出的一幅画，在 1890 年的“二十人画展”上卖了 400 法郎。可惜几个月后，凡·高就去世了。无论如何，在死之前得到了认可，凡·高一定为此振奋过。

凡·高表弟不是很可爱吗？为什么不答应他？

不，永不。

画家自己画就可以了。《埃顿花园的记忆》就是其中的一幅装饰画，它看起来更像老照片，承载着凡·高难忘的记忆。那是1881年夏天，他爱上了表姐凯，当时的凯刚刚失去丈夫，经常穿着一身黑色的衣服出现在凡·高面前。

这一年的复活节，凡·高和弟弟提奥一起去荷兰的埃顿－勒尔，这里有个漂亮的花园，有人说他在埃顿花园跟凯求婚，却得到了凯非常决绝的答复：**“不，永不。”**凡·高为此颓废了许久，即便已经过去了七年，他依旧难以释怀，最终把这种情感画进了作品里。

《埃顿花园的记忆》 1888年

凡·高不愿承认画中黑发的年轻女子是凯，他跟人介绍说那是妹妹维尔敏娜。可是看过凯照片的人都明白，画中的女子就是她。这份隐晦的爱和遗憾，随着他的画作永世流传。

母亲的画像

1888年10月初，凡·高跟妹妹要了一张母亲的照片。但是他拿到照片后觉得不太像母亲，因为黑白照片没有色彩，不够栩栩如生。后来，他参考母亲的照片，画出了自己理想中的母亲该有的神采。所以这幅作品，画的是凡·高心中的母亲。

《凡·高的卧室》 1888年
为了表达对卧室的喜爱，并且看起来更具说服力，凡·高索性将卧室画了出来。他很喜欢这幅画，在十多封信里都提到过。你发现没有，这幅画中没有一点阴影的处理，每个局部都是均匀的色调和深色的轮廓线。凡·高极大程度地让画看起来明亮可人，好让人觉得这个地方十分舒适。

凡·高的卧室 van Gogh's bedroom

1888年，作家左拉出版了新书《梦》。作为左拉的粉丝，凡·高第一时间买来，一口气读完。天哪，凡·高觉得女主人公生活的房间就是他的**“黄色小屋”**，里面都住着足够虔诚的灵魂，理应让更多的画家来共享这片理想的净土。于是他提笔给好朋友高更写信，邀请高更前来共住。为了吸引高更的兴趣，凡·高免不了将自己的卧室精心描述一番。让我们看看他的卧室什么样吧！

《凡·高的椅子》1888 年

椅子看起来有些破旧，这倒是跟凡·高日常的穿着打扮很相配。椅子上放着他那极具辨识度的烟斗和烟袋，几乎不用看标题，就知道这是凡·高的椅子。

总体上是简单的，但用凡·高自己的话说：“色彩在这里起了很大的作用。淡淡的紫罗兰色铺在墙壁上，地上是红色的瓷砖，木质的床和椅子都刷成了黄油色，床单和枕头是黄色中带有浅浅的香橼绿。”如果说有些花哨的地方，那就是墙上他亲手画的装饰画了。**卧室简直就是凡·高画作的小型博物馆呢！**就这样，1888 年 10 月 23 日，心动的高更终于来到阿尔勒，成了凡·高的室友。

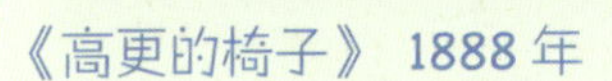

《高更的椅子》1888 年

比起凡·高的椅子，高更的椅子要华丽许多。椅子上放着书籍和点燃的蜡烛，这符合高更的文艺气质。通过椅子就把画家的不同气质表现出来了，这是不是很有趣！

高更被吓跑了

高更最终还是走了。一方面，他不太喜欢普罗旺斯，听不懂这里的方言；另一方面，他和凡·高在绘画创作上有了分歧。更重要的一点，凡·高的精神状态不太稳定，有一个晚上，他竟拿着剃刀站在高更的面前，高更害怕自己会受到攻击，便离开了。

保罗·高更

高更是另一位杰出的后印象派画家、雕塑家，他与凡·高、塞尚并称“后印象派三大巨匠”。

《失去耳朵的自画像》 1889 年

看着他消瘦的脸颊，毫无神采的表情，真让人难过！凡·高的耳朵不见了，会不会是跑去倾听更多人的心声了？这只耳朵听到了太多的声音，可是，又有谁能好好听听凡·高的声音呢？

《阿尔勒斗牛场》 1888 年

Lost his ear

耳朵不见了

凡·高的精神状况一直不太好，这是众所周知的事，但和高更住在一起后更严重了。这个关于友情的故事，结局并不像童话里那样完美。凡·高是比较内向，不太会讲话，虽然他崇敬高更，但也有自己的主见，因而他们经常发生争执。**两个都坚持己见的天才住在一起，注定要经常吵架！**

在凡·高割下耳朵之前，两个好朋友曾一起去看了斗牛表演，勇敢的斗牛士将牛的耳朵割下来以示胜利。在凡·高心里，会不会高更是那个强势又最终获胜的斗牛士，而他是那头一败涂地的斗牛呢？

艺术ABC

素描 Sketch

生活中，我们常把由木炭、铅笔、钢笔等以线条来描绘物象明暗的单色画，称作素描。素描是一种正式的艺术创作，如果把每个人的身体比作一幅画，那么，素描就是我们的骨骼。初学绘画的人一定要先学素描，骨骼长得好，身体自然也是棒棒的！

《失去耳朵的自画像》 1889 年

这画面看着令人心酸。那个向着太阳努力生长的凡·高不见了，这个时候的他很可怜，包着纱布走在街上，内心格外地孤独。

The peak of art brought by the pain

痛苦带来的艺术巅峰

圣雷米疗养院中凡·高曾住过的房间

自从割掉了耳朵，凡·高的生活就越发艰难了，凡·高到底经历了些什么？

哥哥因为耳朵住院，弟弟提奥放下自己正在筹备的婚礼前来陪伴，但时间有限。出院后的凡·高回到黄色小屋，他怕提奥担心而努力康复。之后，凡·高的病情再次复发。在写给弟弟提奥的信中，表明自己自愿住到圣雷米疗养院。

痛苦极了的凡·高并没有放弃画画，相反，这一时期的创作量达到了高峰——他在阿尔勒画了200多幅画。哪怕世界对他充满了恶意，他都不曾放弃画画的初心。**这就是梦想的力量呀，有梦想，你也可以很了不起！**

《盛开的桃花》 1888年

这幅《盛开的桃花》是为了纪念去世的画家安东·莫夫。凡·高在这幅画的背面写道："只要活人还活着，死去的人总还是会活着。"

《阿尔勒医院的庭院》 1889年

这是凡·高割掉耳朵后住的阿尔勒医院。有趣的是绘画角度，凡·高站在比较高的地方画了这幅画，很可能是他把画架放置在了庭院上方的二楼阳台上。画中人烟稀少，隐隐让人觉得凡·高此时的心情是平静而自由的。

《盛开的桃花》（左图） 1888年

画面中两棵桃树盛开的地方，是凡·高很喜欢的阿尔勒平原。凡·高舍不得这里，因为第二年他就要去圣雷米疗养院了。

凡·高犯病时是一种什么感觉？

凡·高写给提奥的信里提到过犯病时的精神状态："有时候就像波浪冲击着阴沉绝望的悬崖一样，我有一种强烈的、想要拥抱一些东西的渴望，我不想严肃地来看待它们，毕竟这是过度兴奋所产生的幻觉，而不是真正看到的景象……"

你好啊，生命 Hello, life

《麦田里的收割者》 1889 年

标题是“收割者”，而农夫的身影却小而模糊，倒是大片的金黄色麦田非常耀眼。凡·高说收割者像“魔鬼”，我们都像麦子一样，最终被收割。这听上去真沮丧！可凡·高本意却不是这样。你看那热烈的阳光，那金黄的色调，他说：“在这种死亡中，没有什么是悲伤的，它发生在阳光下，所有的一切都沐浴在金色的光芒中。”

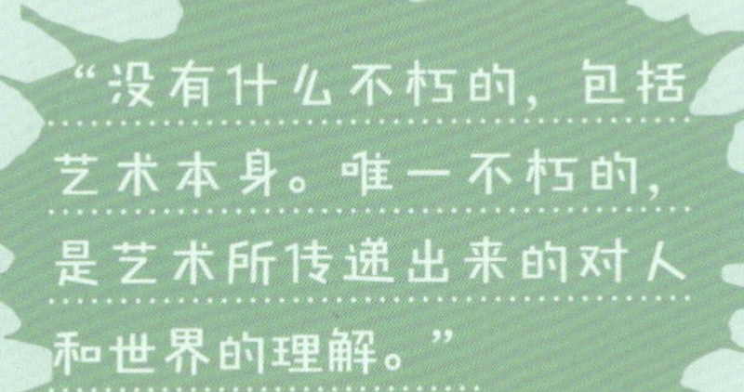

圣雷米的海蓝得让人心醉，只是凡·高住在疗养院里，很少能出门。尽管提奥心疼地请求院长能对他多些照顾，可精神病院和监狱本质上都是用来困住人的，凡·高在这里失去了自由。

即便如此，他依旧没有放弃画画。他在圣雷米疗养院一共画了150多幅画，你大概会觉得在牢笼一般的地方作画，画出的都是阴郁的作品吧。**但他的作品依旧充满了生命力**。他写信跟提奥说：“我想告诉你，我来这里对我来说很好。我看到了这里许多疯子和精神病人的真实生活。这让我在内心深处对他们朦胧的恐惧消失了。目前来看，换个环境对我来说挺有帮助的。”

《盛开的杏花》 1890 年

这幅画你大概不陌生，很多人的手机壳、笔记本封面都用了这幅画。白色的杏花铺在青蓝色的天空上，满载着生命的纯洁与美丽，看着就让人欣喜。这样圣洁的祝福，最适合送给提奥刚刚出生的孩子。

大名鼎鼎的圣雷米

圣雷米小镇虽然不大，却名声在外，除了凡·高之外，享誉全球的大预言家诺查·丹马斯（Nocha Damas，1503—1566 年，法国）也出生在这里。诺查·丹马斯曾经受法国国王亨利二世的邀请，请他预测国家的未来。他写过《百诗集》，每一首诗都是一个预言，他是个神秘的名人。

忧伤丝柏树 Sad Cypresses

在圣雷米疗养院，丝柏树替代了向日葵成了凡·高的“新宠”。大概是因为疗养院里种着许多丝柏树，又或许是在阿尔勒的路边经常遇到，毕竟这是一种常见的常青树。

不过在凡·高眼中，常见不代表不珍贵，它努力地在一年四季里维持着它的绿色，表现着它旺盛的求生欲。那模样可爱又可贵，谁说平凡的生命就不值得赞颂呢！

这些绿色的精灵在他的脑海里变成了音符，在阳光明媚的风景中跳跃，“富有神韵”却难以掌握。你看再普通的景物，都能被充满想象力的画家找到闪光的灵魂，这就是长期训练带来的好处。

让我们一起来看看，这些寻常生命，在凡·高笔下会绽放出怎样的绚丽吧！

《丝柏、星星和路》 1890 年

丝柏树旁边的路像一条蜿蜒的河流，凡·高把扭曲的线条运用到了极致。路的尽头有一间小小的旅馆，窗户透出黄色的光。天空的颜色于大量的青色中加入了玫瑰色和绿色，烘托了夜晚的氛围。画的顶端，星星和月亮发出夸张的光芒，照亮了一切黑暗，夜色真的非常浪漫。

《麦田里的丝柏树》 1889 年

右边的丝柏树穿过云朵，好像碰到了天空，你肯定和我一样觉得那棵丝柏树高大极了。在它身边还有一棵低矮的丝柏树，像是互相依偎着，是它的爱人还是孩子呢？天空的云朵像海浪一样卷了起来，如同漂浮在空中的旋涡。旁边金色的麦浪是太阳的颜色，代表生命。

《两棵丝柏树》 1889 年

这简直就是丝柏树的特写，因为它占了整个画面的三分之二。前面有低矮的荆棘和灌木丛，看样子丝柏树无论是在多恶劣的环境里都能努力生长。

麦地边的三幅丝柏树

凡·高画了三幅《麦田里的丝柏树》。他觉得这是表达夏日风情最好的作品。画中有一些麦穗和罂粟花，蓝天就像一块苏格兰花呢布。所有这些都用厚颜料画成……麦田沐浴在阳光下，尤显热忱敦厚。

《星月夜》 1889 年

没有人能把星空想象成旋涡，好像星星们在银河的漫长旅行中不断翻滚，拖出的长长的光芒卷成一团。有人会为这样的直视感到眩晕，而这正是凡·高的真实感受。他的疾病会让他时常感到眩晕，就像身处梦境一样。

画面的层次感很明确，由远及近。远处山峦起伏，城市的点点灯火像极了地上的星星。这里不是圣雷米，也不是任何一座真实存在的城市，它更像是凡·高记忆里的小镇。

近处的丝柏树在星空下喷着黑色的火焰，在它的右边有一团硕大的星芒。有人说那是金星，或许凡·高只是突发奇想地让它出现而已。

旋转的星空 Revolving starry sky

真是令人激动，凡·高举世闻名的作品《星月夜》在圣雷米诞生了！在创作过程中，必须提起一件事，那就是凡·高一次又一次地去认识发病时的自己。他说："一旦知道这是疾病引起的，就能用平常心对待了。"在这种状态下创作，是非常自由的，他不断地思考、工作，终于有了这幅《星月夜》。

为什么要创作这幅画？一方面，他非常喜欢伦勃朗和德拉克洛瓦画作中那种**"让万物脱离表象"**的创作手法，你可以理解成画家想象出了一个场景，而它不是真实存在的；另一方面，他一看到星星就会向往，觉得那些亮点永远难以达到，不像在法国，想去什么地方可以坐火车，而星空是一个遥远又神秘的地方。

《罗讷河上的星夜》 1888年

"当我望着天上的星星时，常常产生好像地图上代表城镇的黑点的幻觉。我问自己，为什么天空中闪亮的点，不像法国地图上的黑点那样容易接近呢？"凡·高说。

另一幅星空

凡·高在《星月夜》之前就创作过一幅星空作品，叫《罗讷河上的星夜》，创作时间是1888年9月。这幅星空强调的是星光和灯光的对比。两种光芒一眼便能够区分，却并没有形成对立，反而让城市的轮廓凸显出来。

看看这些不同表现手法的头像

自画像 Self-portrait

如果凡·高有手机，一定是个自拍达人。因为他从巴黎到圣雷米，为自己画了近 40 幅自画像，这还仅仅是油画的数量。他大概是我们最熟悉长相的画家了。凡·高为什么要为自己画这么多肖像画呢?

我们只能靠猜测，或许他想看清每个阶段的自己，比如绅士时的自己，包扎着耳朵时的自己，失魂落魄时的自己……不同状态下的人物应该有怎样的线条、色彩和表达方式，这是所有画家都需要不断学习的，凡·高也不例外。当然，还有一个重要的原因，那就是贫穷。**凡·高很穷，没有钱来请模特。**你可以这样认为，他邀请了许多人，但只有画上那些人愿意帮忙，像是善良的老唐基和邮差鲁林。

《戴草帽的自画像》 1887 年

这是凡·高还是提奥呢？一直以来都被争论着。很多人说这是提奥，因为画中人的赭色胡子更像是提奥的，凡·高的胡子有点焦红色。你对比一下其他的自画像，觉得他究竟是谁呢？

《自画像》 1889 年

这是凡·高比较著名的一幅自画像，特别之处在于他身后的旋涡。那一个个同心圆拧在一起，如同天使头顶上的光环。它们一个挨一个铺满了凡·高身后的画面，更加衬托出他平静的表情和坚定的眼神。

《戴草帽的自画像》 1887—1888 年

凡·高戴着这顶黄色草帽的自画像有六幅，他很喜欢这顶帽子，这其中有个故事。大约是 1887 年夏天，凡·高在画廊里看到了马赛著名画家阿道夫·蒙蒂塞利的画像，这位大画家在画中就戴着一顶草帽。凡·高当即决定效仿，以后都要戴着草帽，一方面遮阳，另一方面是他的标志，希望人们看到戴草帽的画家时就想起凡·高，事实也的确如此。

“翻译”米勒 “Translate” Miller

在圣雷米的日子或多或少有些无聊，不能想出去就出去，除了阅读和画画，几乎没有别的娱乐生活。那不如在绘画里寻找些乐趣吧！临摹偶像的画作是个不错的选择。凡·高拿起画笔，开始“翻译”起米勒的作品。

虽说是模仿，但凡·高的画在色彩上却和米勒的画有着极大的区别。你看凡·高一开始受到米勒的影响，作品颜色阴暗，后来在巴黎受到印象派、浮世绘的影响，色彩才明亮起来。

《午休》凡·高模仿　1890 年

凡·高为这对劳作了一上午，正在酣然入睡的夫妇安排了一个更加明快的环境：蓝色的天空，金黄色的稻草堆和麦田，还有他惯用的弯曲的线条，让这场午休看起来更加惬意。

《午休》米勒原画

什么是色彩的明度？

色彩的明度就是色彩的亮度，也就是明与暗。不同的颜色按照明度排列从高到低是白、黄、橙、红、紫、黑；同样的色彩也因为光线照射强弱的不同而有明暗的变化。明度高的色彩让人觉得活泼、明快，明度低的则给人感觉沉稳、厚重。

他说：**“这不是模仿，而是用另一种语言、另一种颜色，以及另一种明与暗、白与黑的对比印象来进行的翻译。”**那我们就一起来看看，凡·高的模仿和米勒的原作都有哪些不同，看看你更喜欢米勒的画还是凡·高的画吧！

《第一步》凡·高模仿　1890 年

画面中使用了高明度的蓝、黄、绿等色调，是不是让你眼前一亮？这样的色调，你可以试着在一个夏日的午后去找一找。人物和景色的轮廓有着明显的黑色线条，那是浮世绘的特征。同样温馨的亲情，因为色调不同而有了变化，米勒的更加纯朴，凡·高的则更加雀跃。

《第一步》米勒原画

让·弗朗索瓦·米勒

米勒和凡·高一样是个贫困潦倒的画家。他在巴比松生活了 27 年，上午劳作，下午作画。因为没有闲钱来购买画布和颜料，他时常就地取材，自己烧制木炭条坚持画画，从未停歇。哪怕仅仅是画素描，米勒的画也是那么出神入化。

加歇医生 Doctor Gachet

1890年的5月，凡·高在提奥的安排下离开圣雷米，去到法国的**奥维尔小镇**。这是个漂亮宁静的小镇，坐落在瓦兹河的右岸，曾吸引过许多后印象派画家在此驻足，比如，塞尚和凡·高。凡·高一来到这里便喜欢上了，他在这里度过了生命中最后的70天，同时画了70余幅画。

《加歇医生》 1890年

加歇医生有些忧郁，凡·高也说这是一张“当代忧郁的面容”。不知他为何如此忧郁，可能是因为凡·高的病情，也可能是因为看了手边的两本小说。

《穿白衣的女孩》 1890年

艺术ABC

铜版画　Etching

铜版画也称“蚀刻版画”，是指在金属版上用腐蚀液腐蚀或直接用针或刀刻制而成的一种版画。据说为了让加歇医生高兴，凡·高曾为他创作了一幅铜版肖像画，当时的加歇医生大赞凡·高是个“巨匠”，然而这位“巨匠”在几十天后就离开了人世。

为了照顾凡·高，提奥请了一名医生对他进行监护，他是加歇医生。加歇医生还是个业余画家，凡·高为他画了肖像画。他说：**“我希望把我对这个人的感觉和爱慕之心画进作品里。”**

《加歇医生》(左图) 1890年

那两本小说不见了，可是加歇医生依旧很忧郁。据说加歇医生本人不太喜欢这两幅肖像画，大概是觉得太苦闷了吧。

Wheat Fields under a Clouded Sky

不安的天色下开阔的麦田

很难概括地用开心或不开心这样的词汇去描述凡·高在奥维尔的最后时光，因为他一直是这样活着——**在寂寞、孤独、沮丧和希望中来回穿梭**。这就像一个小朋友喜欢学习，但又觉得作业很多，那种情绪是复杂的。

当他提笔给母亲写信的时候，好像他很快活、幸福，他说他正在创作一幅麦田作品，它像海一样广大，有着**“黄色与绿色的微妙色彩”**。但跟提奥提到这些作品的时候，他用的都是一些阴郁的词汇，比如他形容这是“不安的天色下开阔的麦田”，他说他想表达的是**“不快与极端寂寥”**。

或许是给母亲写信时他真的处于平静状态，抑或是怕母亲担心。无论如何，在凡·高心中，“麦田”系列占据着举足轻重的位置。

“我有时会在收成时节后叹息，并想到，我要到什么时候才能成为大自然的一部分，要到什么时候才能创造出自己的杰作来。”

《阴云下的麦田》 1890 年

这就是凡·高跟母亲和提奥提到的麦田作品。其实从色彩上它依旧是凡·高擅长的亮丽，给人带来宁静和舒畅。但仔细看看，这幅画是不是有点空？天空中没有飞鸟，麦田里没有人物，中间也没有任何景物。没有一点故事，空洞洞的让人感到寂寞。

《乌鸦群飞的麦田》 1890 年

凡·高跟提奥提起这幅画时说：“我根本不用特别费事，就能画出悲哀与无比的寂寞。”他用了很重的蓝色来描绘天空，几乎发黑了！麦浪如同暴风骤雨来临时的大海，波涛汹涌，让人害怕；再加上一群黑色的乌鸦扑面而来，更让人觉得恐怖和压抑。这个时候的凡·高，距离死亡已经很近了。

《多比尼的花园》

凡·高一共创作了三幅《多比尼的花园》，并特地在其中一幅的右下角写上了名字，用以强调这不是随便哪个花园，而是他的朋友、已故的艺术家多比尼家的花园。

仰望天国 Look up to heaven

《奥维尔教堂》 1890 年

奥维尔教堂至今依旧屹立在奥维尔小镇上，因为凡·高而备受瞩目，成了热门的旅游景区。但在凡·高的画里，它看起来有点吓人：蓝色的天空，阴暗的教堂外墙，扭曲的轮廓，两条路和像着了魔一样起伏着的草地。这哪里是教堂，简直像是危房！

所有故事都有个结局，凡·高的也不例外，只是多了一些哀伤。1890年7月27日，他在麦田里拿起枪，射向自己的腹部。不知他当时在麦田里是不是正在创作；也不知他当时想到了什么；更不知枪是从哪儿来的，是否早有准备。事实上，这不是凡·高第一次自杀，他在圣雷米的时候就吞过一次颜料，没有成功。清醒之后他给提奥写信，回忆起自杀时的感受：**“恍惚间，有人唱起了圣歌，就像中邪了一样开始赞颂上帝。”**他说这一切都是因为圣雷米疗养院的色调和格局太阴郁了。可我们都知道，那是因为他发病了。

“绝不要以为故去的人永远逝去，只要有人活着，故去的人就永远活着，永远活着。”

这次也一样，是发病状态下的一个选择。他中弹后踉踉跄跄走到了加歇医生那里，或许那时他清醒了，想活着。可惜，伤势太重，加歇医生无法取出子弹。第二天提奥赶来，陪在凡·高的身边。凡·高异常平静地抽着烟斗，于第三天凌晨去世。临终时说了一些话，版本不一，有的说法是**“但愿我现在能回家去”**，有的说法是**“人间的苦难永无止境”**。尽管哀伤，可不妨碍我们从凡·高的一生和作品里汲取阳光与生命力。再见，凡·高！

《树根和树干》 1890 年

很难看出这到底是树根还是树干，画面混乱的颜色增添了些许可怕的氛围。

善良的凡·高

在生命最后的时光里，凡·高还在牵挂着远方的提奥和生病的侄子。他几次写信给提奥，希望他能带着妻子和孩子来奥维尔生活一段时间。凡·高觉得自己可以去巴黎看望他们，可又担心因精神状态不稳定而成为负担，只能默默忍受思念。不知如果提奥一家真的来到奥维尔，凡·高的结局会不会被改写。

1853.3

出生于荷兰南部北布拉班特的津德尔特。

1864.10

被送往荷兰泽文伯根的寄宿学校就读。

1869—1876

分别在古皮尔画行位于海牙、伦敦、巴黎的分公司就职；1876 年，离开古皮尔画行，在拉姆斯盖特的一所寄宿学校里当助教。

1886.2

前往巴黎，结识印象派画家，画面开始变得明亮。

1888.2

前往阿尔勒，租住在阿尔勒的“黄色小屋”里，迎来辉煌的创作时期。

1888.10

高更来访，在一次争吵过后，凡·高割下自己的耳朵。

1888.12

因精神崩溃被送往阿尔勒医院。

1880—1881

前往布鲁塞尔学习绘画，期间向凯·沃斯·斯特里尔求婚遭拒。

1877—1879

学习神学，1878 年，在波瑞纳吉的煤矿区开始传教活动；由于工作过于热情，被教会解雇。

1885.11

前往安特卫普学习绘画，了解鲁本斯、伦勃朗等画家，接触日本浮世绘。

1890.7

在田野里朝自己开了一枪，并于两天后去世。

1890.5

回到巴黎看望提奥，后与加歇医生一起住在奥维尔。

1889.5

前往圣雷米，在圣雷米疗养院接受治疗。

在这里可以找到凡·高的画

凡·高最为著名的作品多半是他在生前的最后两年间创作的，其间他深陷于精神疾病的困扰。在凡·高去世后，他的作品成为私人收藏，但他的大部分绘画及信件仍保存在位于荷兰阿姆斯特丹的凡·高博物馆里。《星月夜》《向日葵》等，已跻身全球最珍贵的艺术作品的行列。以下博物馆或美术馆中，可以找到凡·高的画。

荷兰阿姆斯特丹

- 国立博物馆
- 市立博物馆

美国纽约

- 大都会艺术博物馆
- 现代艺术博物馆

法国巴黎

- 奥赛博物馆
- 卢浮宫博物馆
- 罗丹美术馆

英国伦敦

- 国家美术馆
- 考陶尔德艺术学院美术馆